Complète mon album !

Lito kili

J'ai adopté un chien !

J'adopte un petit chien !

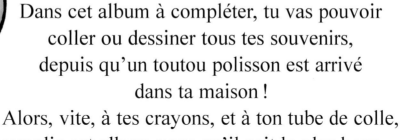

Dans cet album à compléter, tu vas pouvoir
coller ou dessiner tous tes souvenirs,
depuis qu'un toutou polisson est arrivé
dans ta maison !
Alors, vite, à tes crayons, et à ton tube de colle,
remplis cet album pour qu'il soit le plus beau…
…et aussi le plus rigolo !

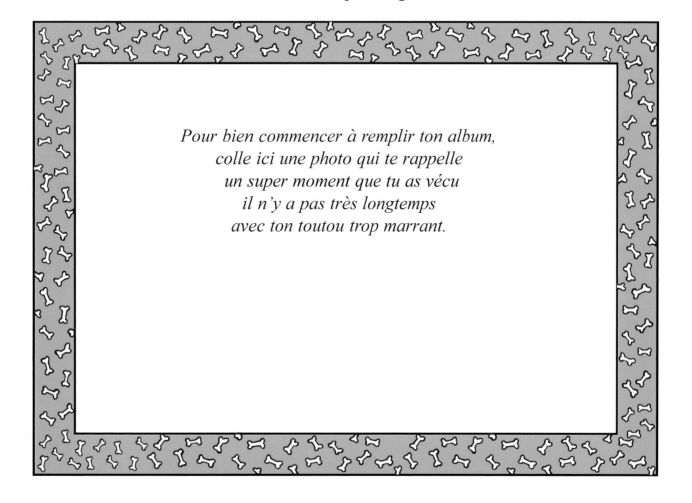

*Pour bien commencer à remplir ton album,
colle ici une photo qui te rappelle
un super moment que tu as vécu
il n'y a pas très longtemps
avec ton toutou trop marrant.*

Que de toutous sur la planète !

Il existe plus de 300 races de chien, sans oublier les bâtards nés de différents mariages ! Parmi ces centaines de chiens, c'est sûr, l'un d'eux va devenir ton inséparable copain !

Le labrador

Quel grand nageur ! Ce chien est capable de sauver des gens de la noyade ! Bien dressé, il peut aussi aider les aveugles à se diriger. Toujours prêt à rendre service, le labrador a besoin de beaucoup d'exercice. Si tu l'adoptes, il faudra le faire courir très souvent !

Le dalmatien

Cette vedette de dessins animés est un chien vif et très joueur. Les bébés chiots naissent tout blancs.

Si tu adoptes un nouveau né, tu verras apparaître ses jolies taches noir réglisse au bout de 15 jours.

La maman dalmatien donne naissance à 6 à 10 chiots par portée. Dessine plein de taches noires sur leur pelage blanc !

Le teckel à poils ras

Même si ses pattes ne sont pas plus hautes que des crayons, ce chien long comme une saucisse aime faire son petit jogging chaque matin !
Son cousin à poils longs aime tout autant courir le marathon.

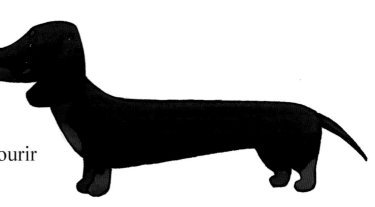

Le berger allemand

Ce chien ressemble à un loup !
Sois tranquille, si tu l'adoptes, ta maison sera gardée comme par un vrai policier !

Le bâtard

Né de la rencontre de chiens sans race, ce toutou saura vite te montrer son affection et aboyer de toutes ses forces pour te protéger !

Le jour où j'ai adopté mon copain chien

Toutou, je t'ai accueilli dans ma maison le ....

Coche avec un crayon bleu les bonnes réponses. C'était...

en hiver ◯   au printemps ◯   en été ◯   en automne ◯

Je suis allé te chercher...

dans un refuge ◯   chez un éleveur ◯   dans une ◯ animalerie

chez quelqu'un ◯ de ma famille   chez un(e) ami(e) ◯ dont la chienne a eu des petits   je t'ai trouvé ◯ abandonné dehors

Je t'ai choisi pour toutes ces raisons...

La première fois que je t'ai vu, j'ai tout de suite vu que tu étais :

Entoure avec un crayon orange les traits de caractère de ton toutou :

un chien joueur

un chien rêveur

un chien bruyant

un chien calme

un chien glouton

un chien bon gardien

un chien curieux
de tout

un chien élégant

un chien câlin

Visite chez le vétérinaire

Comme toi, ton chien doit avoir un carnet de santé bien à lui !
Dessus, le vétérinaire inscrira les vaccins faits à ton toutou
pour qu'il soit toujours en pleine forme !

*Note ici le nom, l'adresse et le numéro
de téléphone de ton vétérinaire :*

....

....

....

....

Un tatouage pour mon toutou !

Le vétérinaire peut tatouer ton toutou dans l'oreille ou sur la cuisse.
Grâce à ce numéro, on retrouvera vite l'adresse de ton chien
s'il se perd ! Il peut aussi placer sous sa peau une puce
électronique renfermant un code qui indique où
habite ton toutou !

Gare aux p'tites bestioles !

Dans le pelage, il peut y avoir aussi de vraies puces qui grattent !
Pour chasser ces bestioles, ton vétérinaire te conseillera
un shampooing efficace, ou un collier anti puces.
Gare aussi aux tiques qui s'agrafent sur la peau
pour sucer le sang !

De bonnes portions

Un géant labrador a bien plus d'appétit qu'un caniche ! Demande conseil à ton vétérinaire. Selon l'âge et le poids de ton chien, il te dira ce que celui-ci doit manger pour lui éviter de devenir un gros patapouf, ou un vrai fil de fer !

Des dents de star

Donne à ton toutou des os en peau de bœuf, ou des barres à mastiquer. En faisant ses crocs dessus, le glouton gardera ses dents plus propres, et cela lui évitera d'avoir du tartre !

Gloups, un bon médicament

Pour faire avaler un comprimé à ton toutou rusé, mélange-le dans sa pâtée !

Un super nom pour mon toutou !

Comment as-tu appelé ton nouveau copain ?
Beaucoup de chiens s'appellent Youki, Médor,
Milou, Bill ou bien Filou !
Mais, il y a des milliers d'autres possibilités !
Quant aux chiens de race nés cette année, ils doivent porter
un nom commençant par la même lettre.
Demande à ton vétérinaire quelle est la lettre « vedette » choisie pour cette année !

Inscris ici les noms que tu trouves les plus rigolos:

....

....

....

....

Après avoir beaucoup hésité, ça y est, tu as fait ton choix !

Écris en rouge le nom que tu as donné à ton toutou et dessine-lui une belle médaille.

....

Carte d'identité de mon chien

Nom : ....

Numéro de tatouage : ....

Race : ....

Âge : .... Poids : ....

Fille ou garçon ? ....

Couleur du pelage : ....

Couleur des yeux : ....

*Colle ci-dessus la photo
de ton toutou !*

*Peins le dessous de la patte
de ton toutou avec de la gouache,
et appuie-la dans ce cadre.
Ne referme pas ton album tout
de suite, laisse sécher l'empreinte !
N'oublie pas ensuite de très vite
laver la patte de ton chien.
Sinon, gare à la moquette !*

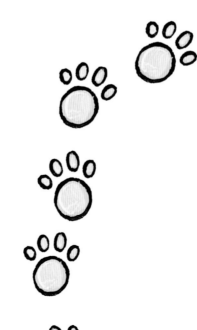

De la truffe aux pattes

Comme le loup et le renard, ton chien fait partie de la grande famille des canidés !
Observe-le, chaque partie de son corps lui est très utile !

1. Sa truffe

C'est son nez ! Ton chien est capable
de te sentir à distance, même avant que
tu ouvres la porte !

2. Ses oreilles

Elles bougent pour entendre dans la
bonne direction tous les bruits, même
les plus faibles, comme celui des pas !

3. Sa queue

Elle lui sert à garder
l'équilibre, et elle
t'indique son humeur !

4. Sa langue

Quand ton chien tire la langue, ce n'est
pas parce qu'il a très soif ! C'est sa façon
à lui de transpirer, de se ventiler, car il ne
sue pas par son pelage, comme toi
par la peau !

5. Son pelage

L'hiver, il est plus épais ! Au printemps,
une partie des poils tombent.
Cet été, ton toutou aura moins chaud !

6. Ses pattes

Elles lui permettent de filer à toute allure,
de te battre à la course, et de creuser
des terriers !

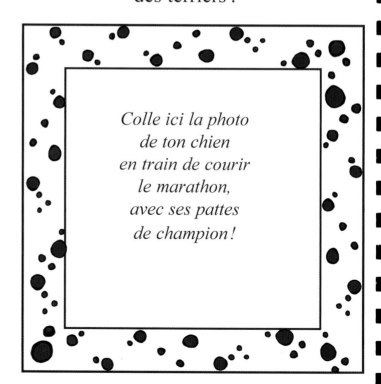

*Colle ici la photo
de ton chien
en train de courir
le marathon,
avec ses pattes
de champion !*

Un peu de confort...

Dans une animalerie, on trouve de quoi bichonner les animaux :
il y a des graines pour les oiseaux, des aquariums pour les poissons,
de la litière pour les matous, et une foule de choses pour les toutous !

*Entoure avec un crayon orange tout ce que tu utilises
pour ton chien.*

gamelle
pour la nourriture

gamelle
pour l'eau

shampooing

collier

laisse

os joujou

brosse

peigne

coussin

tapis

sac de transport

panier en osier

Chiens mannequins

Dans certains magasins pour toutous, on vend des manteaux,
et même des imperméables de toutes les tailles !
Mais, rassure-toi ! Les chiens ne risquent pas d'attraper un rhume en gambadant
sous la pluie, car leur manteau de poils est une vraie fourrure
qui les protège comme une doudoune !

Quel drôle de défilé de mode ! Dessine un chapeau sur la tête du petit pékinois,
un manteau sur le dos du basset, et un imperméable sur celui du boxer.

Chien mon copain, je te comprends bien

Pour attirer ton attention, le chien peut gémir. Il peut aussi hurler comme un loup quand il est triste, grogner quand il est en colère, ou aboyer pour prévenir qu'il y a quelqu'un derrière la porte ! Mais le plus souvent, il utilise son corps pour communiquer. Apprends à décoder son langage silencieux...

Viens jouer avec moi !

Quand ton chien veut s'amuser, il s'incline sur ses pattes de devant, et il relève sa tête et son dos, en agitant la queue !

Je suis heureux !

Quand il est joyeux, ton chien retrousse ses babines, comme s'il rigolait, et il agite sa queue dans tous les sens !

J'ai la frousse !

Quand il a peur, ton chien baisse la tête et les oreilles, comme s'il voulait se rapetisser ! Malin, il prend aussi cette position pour t'apitoyer quand il a fait une bêtise, et qu'il sait que tu ne seras pas content de lui !

Tu es mon brave maître !

Pour te dire qu'il a confiance en toi, ton chien se
couche sur le dos, comme un gros bébé,
et il attend que tu lui grattes et caresses
le ventre !

Je suis curieux !

Si quelque chose l'étonne, ton chien s'assied sur
ses fesses, il penche la tête sur le côté, il semble sourire,
et il observe avec ses yeux, et avec sa truffe !

Gare à mes crocs !

Quand il est en colère, ton chien rabat les oreilles vers
l'arrière, il ouvre sa gueule en découvrant ses 42 dents,
prêtes à mordre, il gronde et hérisse parfois son poil !
Ne t'approche pas de lui, laisse-le se calmer, en évitant
de le regarder droit dans les yeux !

Wouah, wouah, c'est trop bon !

Pour bien grandir, ton toutou a besoin de manger à heures fixes.
À table, chacun sa place : interdis à ton glouton de venir se servir dans ton assiette,
car il a sa gamelle bien à lui !

*Entoure avec un crayon orange les aliments
qui font saliver ton chien.*

Croquettes au bœuf

Pâtée « maison »

Boîte de pâtée
au bœuf et au riz

Boîte de terrine
au veau et aux
carottes

Boîte de boulettes
à l'agneau
ou au poulet

*Colle sur cette boîte l'étiquette
de l'aliment que tu donnes le plus
souvent à ton gourmand !*

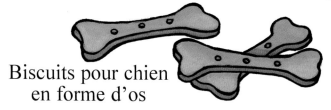

Biscuits pour chien
en forme d'os

Beurk ! Miam !

Pouah, toutou fait la grimace !

Slurp, toutou se pourlèche les babines !

Inscris dans les listes ci-dessous, les aliments qui sont bons ou mauvais pour ton toutou.

Dessine dans sa gamelle vide un aliment qu'il n'aimerait pas du tout croquer.

Dessine dans sa gamelle vide un aliment vraiment délicieux qui le fait saliver.

C'est moi le chef !

Ton toutou ne doit pas en faire qu'à sa tête, il doit t'écouter, tu es son professeur !
En quelques courtes leçons et avec de la patience, tu seras bientôt fier
de ton élève à 4 pattes !

Caramel, viens ici !

Tout d'abord, tu dois toujours commencer
par donner ton ordre en prononçant
d'une voix ferme le nom de ton chien.
N'hésite pas à répéter plusieurs fois
la même consigne, jusqu'à ce que ton
toutou têtu finisse par t'obéir !
S'il respecte ton ordre, félicite-le
par une caresse, ou par un mini biscuit
pour chien !

Caramel, assis !

Accroupis-toi, comme pour donner l'exemple,
appuie doucement sur le bas de son dos,
et dis-lui d'un ton ferme : Caramel, assis !
Répète plusieurs fois la consigne et félicite
toujours ton élève de son obéissance !

Caramel, couché !

Commande d'une voix bien assurée :
« Caramel, couché ! ». Aide en même temps ton chien à s'allonger. Fais doucement, sinon ton toutou joueur pourrait bien te mordiller comme un « nonosse ».
Dès qu'il t'obéit, donne-lui sa récompense !

**Tic, tac,
5 minutes,
top chrono!**

Attention, tes leçons ne doivent pas durer plus de 5 minutes. Pour un jeune chien impatient, ça semble déjà très long !

*Colle ici une photo
de ton chien
bien assis
sur son petit derrière.*

La promenade: une super récréation!

Accompagné d'un adulte, sors-moi 2 à 3 fois par jour. Ces balades me permettront de faire mes besoins, de rencontrer et de renifler mes copains et copines. Et quel bonheur de jouer avec toi à la « baballe »!

Je sors en laisse!

C'est plus prudent, sinon, je risque de passer sous une voiture, ou de me perdre!
Dans mon collier, n'oublie pas d'inscrire nos noms, adresse et téléphone, pour que l'on puisse t'appeler, au cas où j'aurais fait une petite fugue!
Et ne tire pas trop fort sur ma laisse, sinon, aïe, tu vas me blesser le cou!

Je suis un explorateur!

Dans le jardin, pas besoin de laisse!
Alors, quel terrain d'aventure!
Quelle est cette bestiole sur ressorts?
Une grenouille!
Et cette pelote d'épingles?
Un hérisson!
Ne me laisse pas l'approcher
de trop près, sinon ses piquants
risquent de m'égratigner la truffe!

J'adore le sport !

Je cours après la baballe, comme un bon gardien de but ! Si elle tombe à l'eau, pas besoin de bouée ! Plouf, je plonge et barbote avec mes pattes avant ! Quand je sors de l'eau, gare à la douche ! En me secouant, je vais t'éclabousser !

J'enterre mes trésors !

J'aime me rouler dans les tapis de feuilles, et gratter la terre pour y creuser des trous. Parfois, j'y cache mon os, comme un précieux lingot d'or !

Ce toutou aventurier vient de faire une drôle de découverte. Dessine de quoi il s'agit près de sa truffe.

5 conseils pour rendre ton chien heureux

1. Laisse-le dormir tranquille.

Quand tu ronfles sous ta couette, tu n'aimerais
pas que l'on te sorte de tes doux rêves !
Pour ton toutou, c'est pareil, respecte bien
ses siestes, sans venir le réveiller en fanfare !

2. Le temps de la gamelle, c'est important.

Évite de le déranger quand il se régale, la truffe plongée
dans ses croquettes ! Et laisse-lui le temps de digérer
avant de sortir, pour le faire courir ventre à terre.
Sinon, beurk, splatch, il risque de tout vomir !

3. Joue avec ton toutou.

Amuse-toi avec lui souvent, en faisant une partie de
cache-cache derrière les meubles.
Enfouis aussi l'une de ses balles à grelots au fond d'un
vieux chausson déjà tout mordillé.

4. Pas de fessée pour ton fripon !

Ton toutou déteste vivre seul, ne l'abandonne jamais plus de 7 heures !
Si pendant ton absence il fait une grosse bêtise pour s'occuper,
à ton retour, ne le bats surtout pas !
Dis lui seulement d'une voix ferme :
« Caramel au coin ! »,
sans lui faire de câlin !

5. Le toilettage, c'est bon pour le pelage !

Comme le chat, ton chien se lèche, sa salive lui servant d'eau et de savon !
Il utilise aussi ses dents comme un peigne pour retirer les saletés accrochées à son
pelage ! Ceci ne t'empêche pas de le brosser, surtout si ton toutou
a des poils longs. Pour lui ce sera une super séance de papouilles
et de bons câlins supplémentaires !

Note ici la plus grosse bêtise
faite par ton toutou quand tu n'étais pas là :

....

....

....

....

....

....

Un vrai petit zoo !

Dans presque toutes les maisons, on bichonne un animal ! Du plus petit au plus grand, quel mini zoo à domicile ! Poisson rouge, canari, hamster, lapin nain, chat, chien, poney, chacun à son grand copain pour la vie ! Car un animal, ce n'est pas un jouet. On doit le soigner chaque jour avec de gros paquets d'amour !

Dans cette maison, dessine ou colle les photos des animaux de compagnie de tes grands-parents, tontons, taties, cousins, copains, etc...

Imprimé en Chine